꽃들에게
희망을

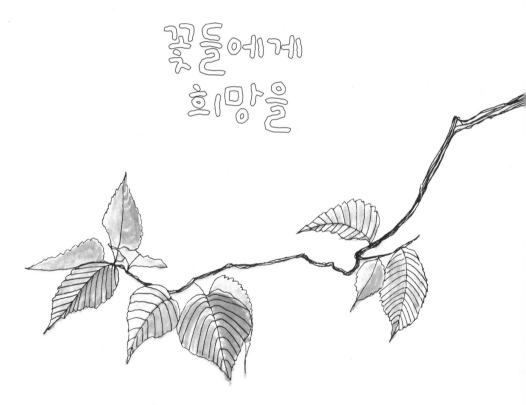

트리나 폴러스 글/그림 · 김석희 옮김

 시공주니어

트리나 폴러스는 26년 동안 200만 부가 팔린 베스트 셀러 《꽃들에게 희망을》을 펴낸 외에도 많은 일을 했다. 국제여성운동단체인 '그레일(The Grail)' 회원으로 14년 동안 공동 농장에서 일하면서 우유를 짜고, 채소를 재배하고, 성경 구절을 쓰고, 성가를 부르고, 공동체 생활을 유지하기 위해 조각품을 만들어 팔았다. 이집트의 아흐밈에 여성 자수협동조합을 설립하는 일을 도왔고, 뉴욕에서 대리석을 조각했고, 아들 하나를 키웠고, 콜로라도의 산에서 영구 경작법을 배우면서 6개월을 보내기도 했다. 지금은 뉴저지 주에 있는 집에서 식량과 소망과 황제나비를 키우고 있다. 이 집은 현지에서 유기농법으로 재배한 식품의 우수성을 선전하는 소규모 환경 센터이기도 하다.

김석희는 소설가이자 번역가로, 1952년 제주에서 태어나 서울대학교 불어불문학과를 졸업하고 동대학원 국문학과를 중퇴했다. 1988년 한국일보 신춘문예에 소설이 당선되어 문단에 데뷔한 뒤, 창작집 《이상의 날개》와 장편소설 《섬에는 옹달샘》들을 발표했다. 《털없는 원숭이》, 《로마인 이야기》, 《프랑스 중위의 여자》, 《한밤중 톰의 정원에서》, 《큰 숲 속의 작은 집》, 《호비트》 등 많은 책을 번역했으며, 1997년에 제1회 한국번역상 대상을 수상했다.

꽃들에게 희망을

지은이/트리나 폴러스 옮긴이/김석희 초판 제1쇄 발행일/1999년 6월 20일 개정판 제5쇄 발행일/ 2002년 5월 20일
발행인/전재국 발행처/(주)시공사 주소/137-070 서울시 서초구 서초동 1628-1
전화/영업 598-5601 편집 588-3121 /인터넷 홈페이지 www.sigongsa.com ISBN 89-7259-843-7 43840

HOPE FOR THE FLOWERS by Trina Paulus
Copyright ⓒ 1972 by Trina Paulus
Published in English by Paulist Press, ISBN 0-8091-1754-1
All rights reserved.
Korean translation copyright ⓒ 1996 by Sigongsa Co., Ltd.
This Korean edition was published by arrangement with Paulist Press, Mahwah through Shinwon Agency Co., Seoul.

이 책의 한국어판 저작권은 Shinwon Agency를 통해 Paulist Press와 독점 계약한 (주)시공사에 있습니다.
한국 내에서 보호받는 저작물이므로, 무단 전재와 무단 복제를 금합니다.

내가 나비에 대한
믿음을 갖도록 도와 주신
전세계의 모든 분들께
감사를 드립니다.

이 책은 온갖 어려움을
겪으면서도
진정한 자아를 찾아나선
한 애벌레의 이야기입니다.

그 애벌레는 나 자신,
그리고 우리 모두를 닮았습니다.

Trina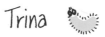

'더 나은' 삶—
    진정한 혁명,

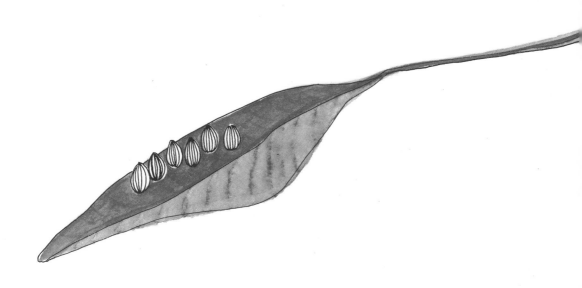

그리고 진정한 혁명의 존재를 믿으신
나의 아버님께 이 책을 바칩니다.

제1장

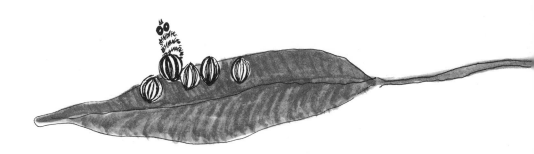

아주 옛날,
작은 호랑 애벌레 한 마리가
오랫동안 아늑한 보금자리가 되어 주었던
알을 깨고 나왔습니다.

호랑 애벌레가 말했습니다.
"세상아, 안녕.
햇빛 속으로 나오니까 정말 환하구나."

"배가 고픈걸." 이런 생각이 들자,
호랑 애벌레는 자기가 태어난 곳인
초록빛 나뭇잎을 갉아먹기 시작했습니다.

그 나뭇잎을 다 먹자, 또 다른 나뭇잎을 먹었습니다⋯⋯. 그리고

호랑 애벌레는 무럭무럭 자랐습니다⋯⋯. 몸이 자꾸만 자꾸만

또 다른 잎을…… 또 다른 잎을.

커졌습니다…….

그러던 어느 날, 호랑 애벌레는
먹는 일을 멈추고 생각했습니다.

"그저 먹고 자라는 것만이
삶의 전부는 아닐 거야.
이런 삶과는 다른 무언가가 있을 게 분명해.

그저 먹고 자라기만 하는 건 따분해."

그래서 호랑 애벌레는 오랫동안
그늘과 먹이를 제공해 준
정든 나무에서
기어 내려왔습니다.

호랑 애벌레는 그 이상의 것을
찾고 있었습니다.

세상은 온갖 새로운 것들로 가득 차 있었습니다.
풀과 흙, 구멍, 작은 곤충들.
이 모든 것들이 호랑 애벌레의 마음을 사로잡았습니다.

하지만 그 어느 것도 호랑 애벌레를 만족시켜 주지는 못했습니다.

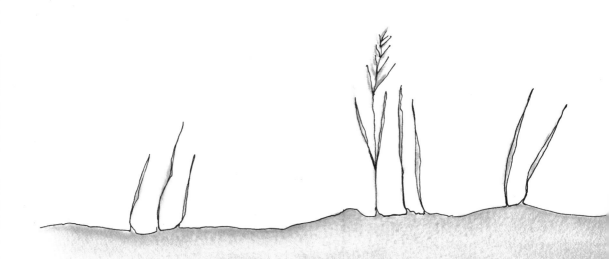

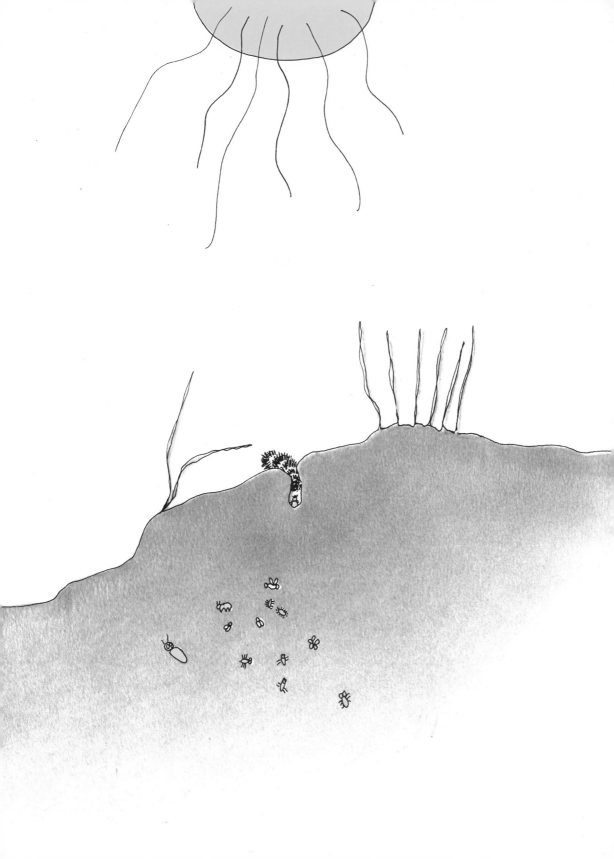

그러던 어느 날, 호랑 애벌레는
자기처럼 기어다니는 애벌레들과 마주쳤습니다.
호랑 애벌레는 유난히 가슴이 설레었습니다.

하지만 그들은 먹는 일에만
정신이 팔려 있어서 이야기할 겨를이 없었습니다.
얼마 전까지 호랑 애벌레가 그랬던 것처럼 말입니다.

"저 애들은 삶에 대해 나보다도 아는 게 없어."
호랑 애벌레는 한숨을 지었습니다.

하루는
무척 바삐
기어가고 있는
애벌레 떼를 보았습니다.

그들이 어디로 가고 있는지
궁금해서 주위를 둘러보니,
하늘로 점점 치솟고 있는
커다란 기둥이 보였습니다.

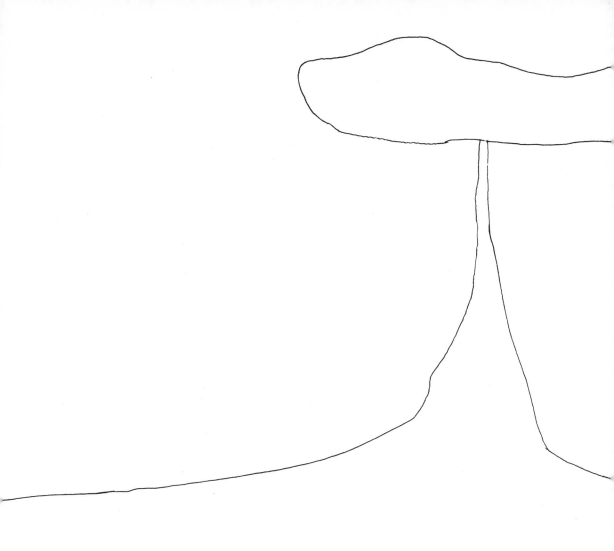

호랑 애벌레는 그들 틈에 끼여들었고,
그러고는 놀라운 사실을 알게 되었습니다······.

그 기둥은 꿈틀거리며 서로 밀고,
올라가는,
애벌레 더미—
말하자면 애벌레 기둥이었습니다.

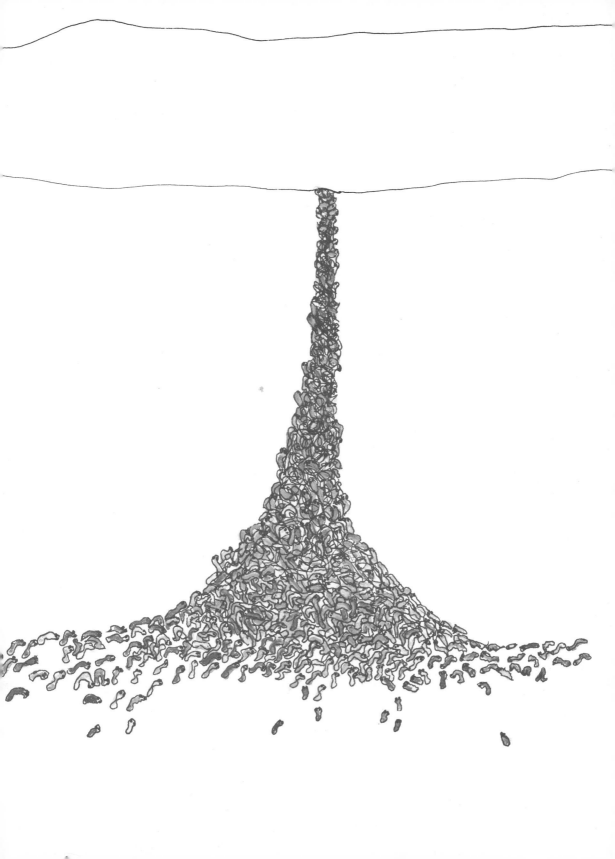

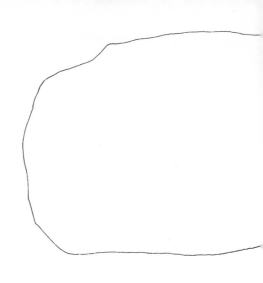

애벌레들은 꼭대기에 오르려고
기를 쓰는 것 같았습니다.
그러나 꼭대기는
구름에 가려 있어서,
그곳에 무엇이 있는지
호랑 애벌레는 알 수가 없었습니다.

호랑 애벌레는
새봄에 물이 오르는 나무처럼
새로운 흥분을 느꼈습니다.

"그래, 내가 찾으려는 것이
어쩌면 저곳에 있을지도 몰라."

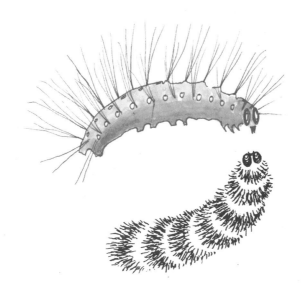

호랑 애벌레는 들뜬 마음으로
옆에 있는 애벌레에게 물었습니다.

"저 애들이 지금 무얼 하고 있는지 아니?"

그러자 그 애벌레가 말했습니다
"나도 방금 도착했어.
아무도 설명해 줄 시간이 없나 봐.
다들 저 꼭대기로
올라가려고 애쓰느라 바쁘거든."

호랑 애벌레가 또 물었습니다.
"저 꼭대기에는 뭐가 있는데?"

"그건 아무도 몰라.
하지만 모두 저기에 가려고
서두르는 걸 보면 아주 멋진 곳인가 봐.
나도 빨리 가 봐야겠어! 잘 가."

그 애벌레도 수많은 애벌레들 속으로 뛰어들었습니다.

호랑 애벌레는 새로운 호기심으로
머리가 터질 것 같았습니다.
생각을 제대로 정리할 수가 없었어요.
다른 애벌레들이 잇달아 호랑 애벌레의 곁을 지나
기둥 속으로 사라져 갔습니다.

"내가 할 일은 하나뿐이야."

호랑 애벌레도 기둥 속으로 밀고 들어갔습니다.

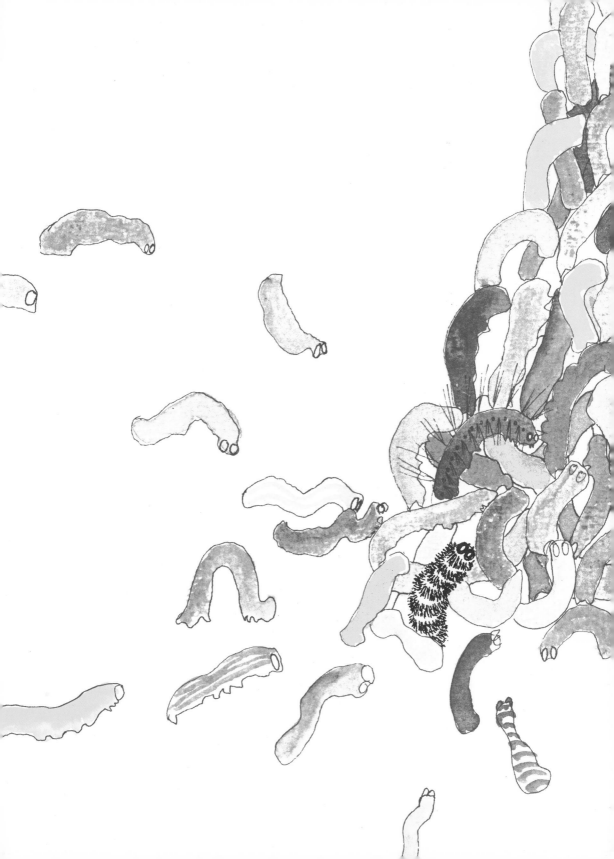

제 2 장

산더미 같은 애벌레들 틈에
들어간 뒤
처음 얼마 동안은
충격에서 헤어날 수가 없었습니다.

호랑 애벌레는
사방에서 떠밀리고
채이고
밟혔습니다.

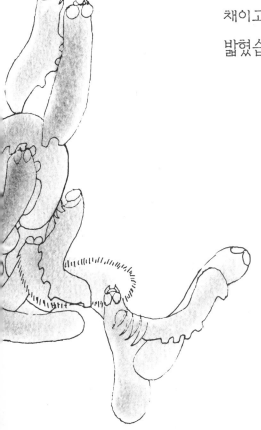

밟고 올라가느냐,
아니면 발 밑에 깔리느냐…….

호랑 애벌레는 밟고 올라섰습니다.

이런 상황에서 애벌레들은 더 이상
친구가 아니었습니다.
이제 그들은 위협과
장애물일 뿐이었습니다.
호랑 애벌레는
그 장애물을 디딤돌로 삼고,
위협을 기회로 바꾸었습니다.

오로지 남을 딛고 올라서야 한다는 생각이
실로 큰 도움이 되었고,
호랑 애벌레는 점점 더 높은 곳으로
올라가고 있는 듯한 기분을 느꼈습니다.

하지만 어떤 날은 제자리를
지키고 있는 것만도 힘겨웠습니다.
그럴 때면 특히 불안의 어두운 그림자가
호랑 애벌레의 마음을 괴롭혔습니다.
그림자는 이렇게 속삭이곤 했습니다.
"꼭대기에는 뭐가 있지?
우리는 어디로 가고 있는 거지?"

하루는 하도 화가 나서,
그림자의 속삭임을 더 이상
참지 못하고 버럭 고함을 질렀습니다.

　　　"나도 몰라.
　　　그런 건 생각할 시간도 없단 말야!"

그때 호랑 애벌레 밑에 눌려 있던
노랑 애벌레가 숨을 헐떡이며 물었습니다.

　　　"너 방금 뭐라고 했니?"

호랑 애벌레는 얼버무렸습니다.
　　　"혼자말을 한 것뿐이야.
　　　별로 중요한 건 아니야.
　　　우리가 어디로 가고 있는지
　　　궁금했을 뿐이야."

노랑 애벌레가 말했습니다.
"실은 나도 그게 궁금했어.
하지만 알아낼 방법이 없어서
그건 별로 중요하지 않다고 생각하기로 했어."
스스로 생각해도 이 말이 너무 어리석게 느껴졌는지,
노랑 애벌레는 얼굴을 붉히며 재빨리 덧붙였습니다.
"우리가 어디로 가고 있는지, 다른 애들은
아무도 걱정하지 않는 것 같아. 그러니까
우리가 가는 곳은 틀림없이 멋진 곳일 거야."
하지만 노랑 애벌레는 또다시 얼굴을 붉히며 물었습니다.
"꼭대기까지는 얼마나 남았을까?"

호랑 애벌레는 근엄하게 대답했습니다.
"우리가 있는 곳은
밑바닥도 아니고 꼭대기도 아니니까,
중간쯤에 있는 게 분명해."

노랑 애벌레가 말했습니다.
"그렇구나."
그들은 다시 기어오르기 시작했습니다.

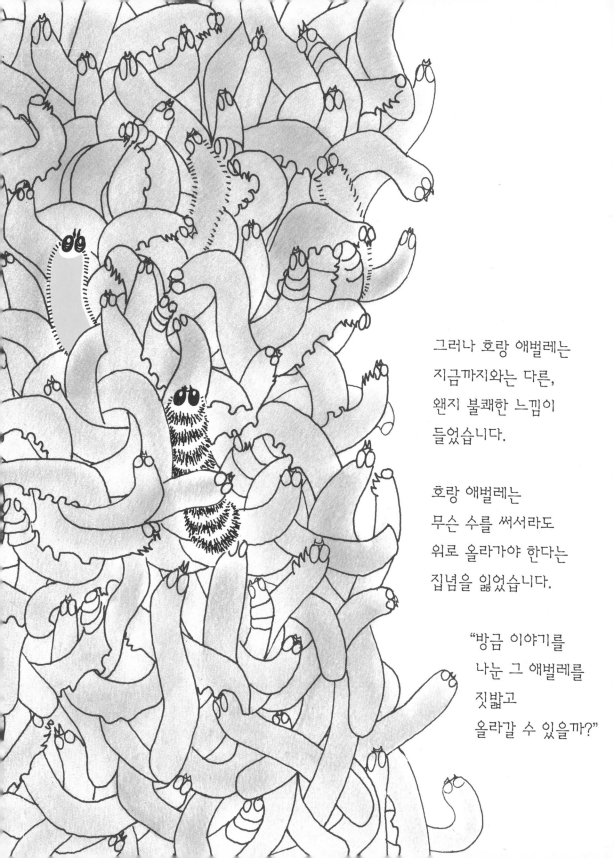

그러나 호랑 애벌레는
지금까지와는 다른,
왠지 불쾌한 느낌이
들었습니다.

호랑 애벌레는
무슨 수를 써서라도
위로 올라가야 한다는
집념을 잃었습니다.

"방금 이야기를
나눈 그 애벌레를
짓밟고
올라갈 수 있을까?"

호랑 애벌레는 노랑 애벌레를 피하려고
애를 썼지만, 어느 날 다시 마주치고 말았습니다.
노랑 애벌레는 위로 올라갈 수 있는 유일한 길목을
가로막고 있었습니다.

"그래, 네가 올라가느냐,
아니면 내가 올라가느냐, 둘 중 하나야."
호랑 애벌레는 이렇게 말하고는,
노랑 애벌레의 머리를 밟고 올라섰습니다.

노랑 애벌레가 슬프게 바라보는 눈빛에
호랑 애벌레는 그만 자신이
미워졌습니다. 그리고 문득
이런 생각이 들었습니다.
"저 위에 무엇이 있는지는
모르지만, 이런 짓을
하면서까지 올라갈 가치는 없어."

호랑 애벌레는
노랑 애벌레의
머리에서 내려와
속삭였습니다.
"미안해."

그러자 노랑 애벌레가 울면서 말했습니다.

"그날 혼자말을 하는 너를 만나기 전에는 그래도
미래의 희망을 품고 이 삶을 견딜 수 있었어.
그런데 그날 이후로는 이런 생활을 계속할 마음이
사라졌어. 하지만 이제 어떡하면 좋을지 모르겠어.

그때까지만 해도 내가 이런 생활을 얼마나 싫어하는지
몰랐어. 하지만 지금 나를 바라보는 너의 다정한 눈길을 보고,
내가 이 생활을 좋아하지 않는다는 걸 확실히 깨닫게
됐어. 나는 너와 함께 기어다니며 풀이나 뜯어먹는
생활을 하고 싶어."

호랑 애벌레는 가슴이 두근거렸습니다.
모든 것이 달라 보였습니다.
기둥은 이제 아무런 의미도 없었습니다.

호랑 애벌레가 속삭였습니다. "나도 그러고 싶어."

그것은 위로 올라가는 일을 포기한다는
의미였습니다. 매우 어려운 결단이었습니다.

"노랑 애벌레야, 우리는 어쩌면 꼭대기에
거의 다 왔는지도 몰라. 우리가 서로 도우면
금방 꼭대기에 도착할 수 있을 거야."

노랑 애벌레가 말했습니다. "그럴지도 모르지."

그러나 그들은 깨달았습니다. 꼭대기에 오르는 것이
그들의 가장 간절한 소망은 아니라는 것을.

　　　노랑 애벌레가 말했습니다.
　　　"내려가자."
　　　"그래, 좋아."
　　　그래서 그들은 올라가는 것을 포기했습니다.

수많은 애벌레가 그들을 밟고 올라갔기 때문에,
그들은 서로를 꼭 끌어안았습니다.

숨이 막혀서 답답했지만,
그들은 함께 있어서 행복했고,
눈과 배가 밟히지 않도록 서로 끌어안고
커다란 공처럼 몸을 둥글게 말았습니다.

그들은 꽤 오랫동안
꼼짝도 하지 않고
그렇게 끌어안고 있었습니다.

이윽고 그들은
자신들을 밟고 가는 것이
아무것도 없다는
사실을 깨달았습니다.

그들은 둥글게 말았던
몸을 펴고 눈을 떴습니다.
그들은 어느덧
애벌레 기둥 옆으로
빠져나와 있었습니다.

"호랑 애벌레야, 안녕."

"노랑 애벌레야, 안녕."

둘은 파릇파릇한
풀밭으로 기어갔습니다.
배를 채우고 한숨 자려고요.

잠들기 전에 호랑 애벌레는
노랑 애벌레를 꼬옥 껴안아 주었습니다.

"이렇게 함께 있는 건
저 무리 속에서 짓눌리는 것과는
확실히 다르구나!"

        "정말 그래!"

노랑 애벌레는 방긋 웃으며 눈을 감았습니다.

제 3 장

노랑 애벌레와 호랑 애벌레는
풀밭에서 신나게 놀며
파릇한 풀을 마음껏 뜯어먹고
통통하게 살이 쪘습니다.
그리고 서로 사랑했습니다.

쉴새없이
남과 싸울 필요가
없는 것이
너무나 기뻤습니다.

한동안은 꼭 천국에 와 있는 것 같았습니다.

하지만 시간이 흐르자,
서로 껴안는 것조차
지겨워졌습니다.

둘은 이제 서로를 속속들이 알고 있었습니다.

호랑 애벌레는 또다시 이렇게 생각하지 않을 수 없었습니다
"이게 삶의 전부는 아닐 거야. 무언가가 더 있는 게 분명해."

노랑 애벌레는 호랑 애벌레가
고민하는 것을 보고, 호랑 애벌레를
더욱 행복하고 편안하게 해 주려고 애썼습니다.
"생각해 봐. 우리가 떠나온 그 끔찍한 혼란보다는
지금의 평화로운 생활이 훨씬 낫지 않니?"

호랑 애벌레가 대답했습니다.
"하지만 우린 꼭대기에 무엇이 있는지
모르잖아. 우리가 내려온 것은
실수였는지도 몰라. 이제 쉴 만큼
쉬었으니까, 이번에는 꼭대기까지
오를 수 있을 거야."

노랑 애벌레가 애원했습니다.
"제발 그러지 마. 우린 멋진 보금자리가 있고,
서로 사랑하잖아. 그걸로 충분해.
꼭대기를 향해 기어오르는
저 외로운 애들보다는 우리 생활이 훨씬 나아."

노랑 애벌레가 너무나 확신에
차 있어서, 호랑 애벌레는
노랑 애벌레의 말을 믿었습니다.

하지만 그것도
잠시뿐…….

위로 올라가는 일에 대한 호랑 애벌레의 미련은
점점 더 심해졌습니다. 기둥이 호랑 애벌레의
머리에 달라붙어 한시도 떠나지 않았습니다.
호랑 애벌레는 날마다 그곳으로 기어가서 위를 쳐다보며,
저 꼭대기에는 무엇이 있을까 하고 궁금해했습니다.

그러나 꼭대기는 여전히
구름에 덮여 있었습니다.

하루는 기둥 주위에서 쿵 하는 소리가 세 번 울려,
호랑 애벌레는 깜짝 놀랐습니다.
커다란 애벌레 세 마리가 어디선가 떨어져
땅바닥에 널브러져 있었습니다.

두 마리는 죽은 것 같았으나, 한 마리는 아직
꿈틀거리고 있었습니다. 호랑 애벌레가 속삭였습니다.
"무슨 일이니? 내가 도와 줄까?"

그 애벌레는 간신히 몇 마디 중얼거렸습니다.
"저 꼭대기…… 나중에 알게 될 거야…….
나비들만이……."

애벌레는 말을 미처 끝내기도 전에
숨을 거두고 말았습니다.

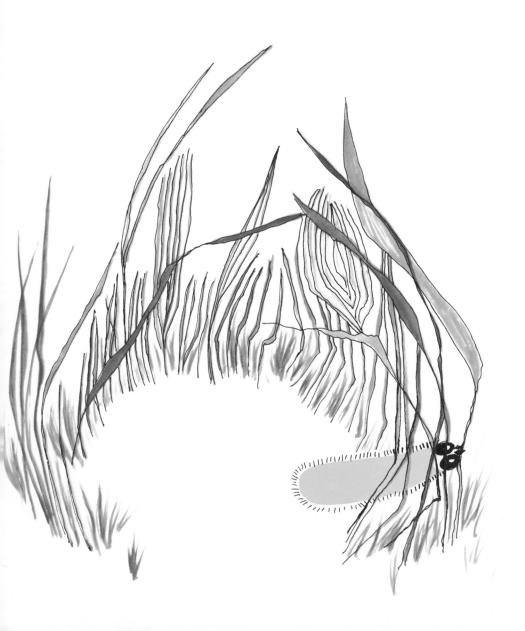

호랑 애벌레는 집으로 돌아가서
노랑 애벌레에게 자기가 보고
들은 것을 이야기했습니다.

그들은 심각한 표정으로 말없이 생각에
잠겼습니다. 그 수수께끼 같은 말은
도대체 무슨 뜻일까?

그 애벌레들은 꼭대기에서 떨어진 것일까?

마침내 호랑 애벌레가 입을 열었습니다.
"난 알아야겠어. 당장 가서
꼭대기의 비밀을 알아내야겠어."

그러고는 좀더 부드러운 말투로 덧붙였습니다.
"너도 같이 가서 도와 주지 않을래?"

노랑 애벌레는 몹시 괴로웠습니다.
노랑 애벌레는 호랑 애벌레를 사랑했고,
호랑 애벌레와 함께 있고 싶었습니다.
호랑 애벌레가 성공하도록 도와 주고 싶었습니다.

하지만 숱한 시련을 견디면서까지 꼭대기에
올라갈 만한 가치가 있는지 의심스러웠습니다.

노랑 애벌레도 위로 올라가고 싶었습니다.
땅바닥을 기어다니는 생활이 만족스러운 것은
아니었으니까요.

애벌레 기둥이 꼭대기에 이르는 유일한 길이라는 것을
노랑 애벌레도 인정할 수밖에 없었습니다.

확신에 차 있는 호랑 애벌레를 보면서,
노랑 애벌레는 호랑 애벌레에게 공감하지 못하는
자신이 부끄러웠습니다. 게다가 반대하는 이유를
호랑 애벌레가 납득할 수 있도록 조리 있게
말하지 못하는 자신이 바보처럼 느껴졌고,
당혹스럽기까지 했습니다.

그래도 어쩐지, 노랑 애벌레는 무턱대고 행동하기보다는
미심쩍은 채로 그냥 기다리는 편이 더 낫다는
생각이 들었습니다.

설명할 수도 없고 증명할 수도 없었지만,
노랑 애벌레는 호랑 애벌레를 사랑하면서도
함께 갈 수는 없었습니다.

노랑 애벌레는 올라가는 것만이 꼭 높은 곳에 이르는
길은 아니라는 것을 깨달았습니다.

노랑 애벌레가 안타까운
마음으로 말했습니다.
"난 안 가겠어."
그러자 호랑 애벌레는
위로 올라가기 위해
노랑 애벌레를 떠났습니다.

제4장

호랑 애벌레가 떠나고 나자,
노랑 애벌레는 무척 쓸쓸했습니다.

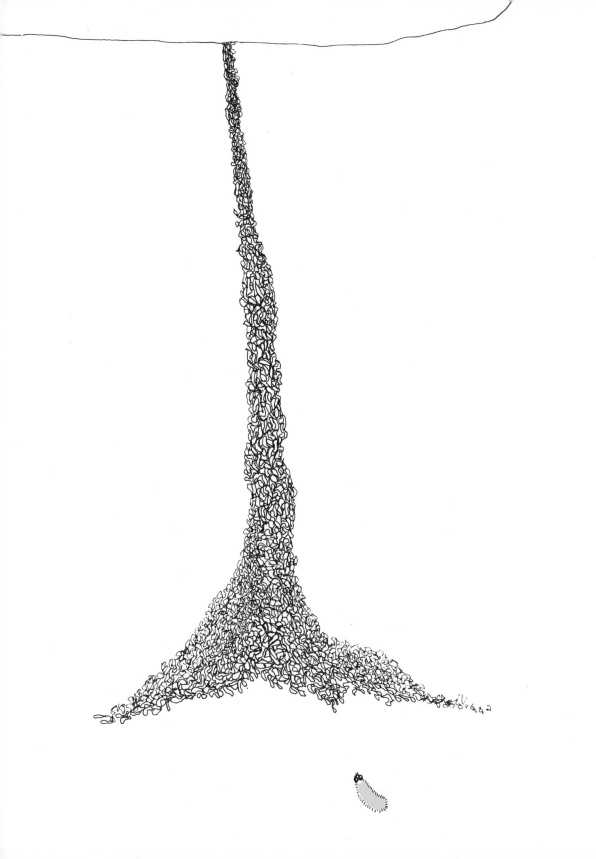

노랑 애벌레는 날마다 호랑 애벌레를 찾으러 기둥으로 기어갔다가,
밤이면 슬픈 마음을 안고 집으로 돌아왔습니다. 호랑 애벌레를
만나지 못한 게 차라리 다행이라는 생각도 들었습니다. 만약에
호랑 애벌레를 만났다면, 그러면 안 된다는 걸 알면서도
호랑 애벌레를 따라 애벌레 더미 속으로 뛰어들었을 테니까요.

노랑 애벌레는 이렇게 무작정 기다리느니,
무슨 일이든 하고 싶었습니다.

"내가 정말로 원하는 게
도대체 무엇일까?"
노랑 애벌레는 한숨을
내쉬었습니다.
"내가 원하는 건 금세금세
달라지는 것 같아.
틀림없이 그 이상의 것이
있을 거야."

마침내 노랑 애벌레는 멍한 상태에 빠지더니, 그 동안
정들었던 것들을 떠나, 정처없이 헤매 다니기 시작했습니다.

그러던 어느 날, 늙은 애벌레
한 마리가 나뭇가지에
거꾸로 매달려 있는 것을 보고
깜짝 놀랐습니다.

그 애벌레는 털투성이 주머니 속에
갇혀 있는 듯했습니다.

"곤경에 빠지신 것 같은데,
제가 도와 드릴까요?"
노랑 애벌레가 말했습니다.

"아니다.
나비가 되려면 이렇게 해야 한단다."

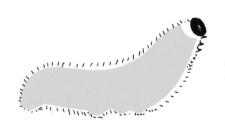

"나비! 바로 그거야."
노랑 애벌레는 두근거리는
마음으로 물었습니다.
"저, 나비가 뭐죠?"

"나비는 미래의 네 모습일 수도 있단다.
나비는 아름다운 날개로 날아다니면서,
땅과 하늘을 연결시켜 주지.
나비는 꽃에서 꿀만 빨아 마시고,
이 꽃에서 저 꽃으로
사랑의 씨앗을 날라다 준단다."

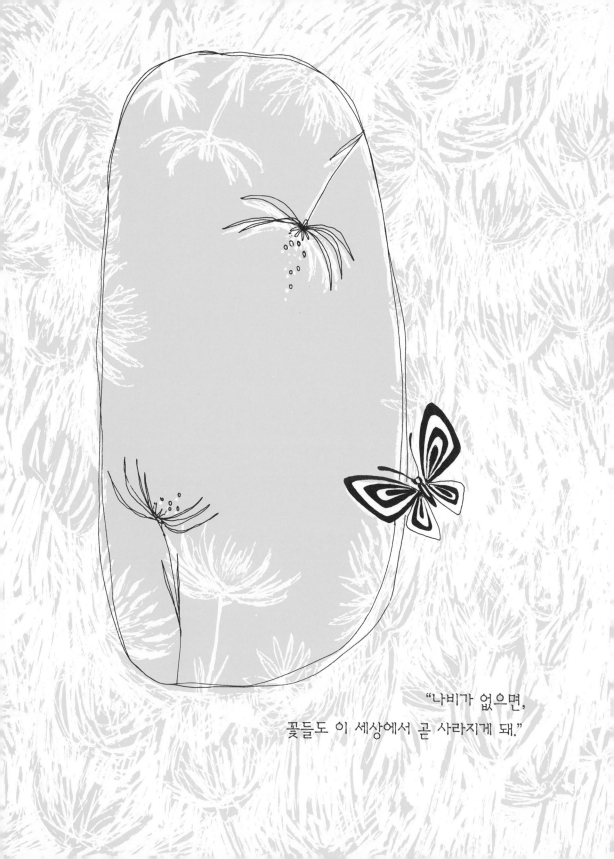

"나비가 없으면,
꽃들도 이 세상에서 곧 사라지게 돼."

노랑 애벌레는 숨을 헐떡이며 말했습니다.
"그럴 리가 없어요! 제 눈에 보이는 것은 당신도 나도
솜털투성이 벌레일 뿐인데, 그 속에 나비가 한 마리
들어 있다는 걸 어떻게 믿을 수 있겠어요?"

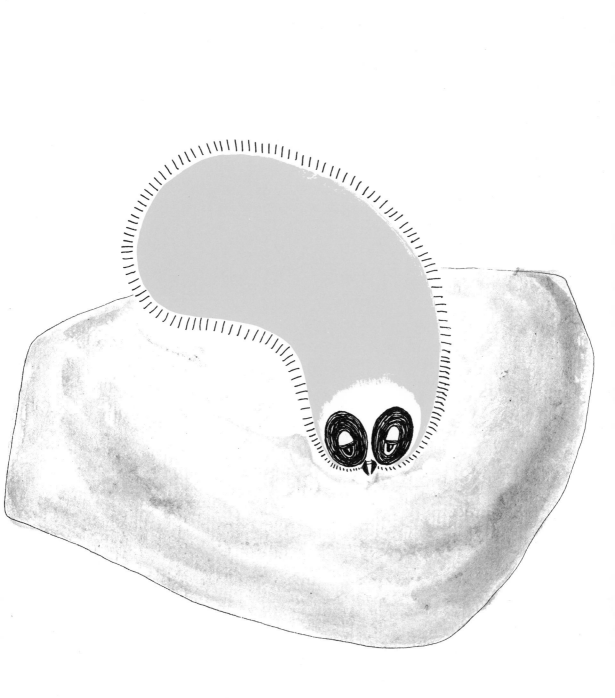

노랑 애벌레가 생각에 잠긴 얼굴로 물었습니다.
"어떻게 하면 나비가 되죠?"

"날기를 간절히 원해야 돼.
하나의 애벌레로 사는 것을
기꺼이 포기할 만큼 간절하게."

"죽어야 한다는 뜻인가요?"
노랑 애벌레는 하늘에서 떨어진
세 마리의 애벌레를 생각하면서 물었습니다.

"그렇기도 하고, 아니기도 하지.
'겉모습'은 죽은 듯이 보여도,
'참모습'은 여전히 살아 있단다.
삶의 모습은 바뀌지만,
목숨이 없어지는 것은 아니야.
나비가 되어 보지도 못하고 죽는
애벌레들과는 다르단다."

노랑 애벌레는 망설이다가 물었습니다.
"나비가 되기로 결심하면…… 무엇을 해야 되죠?"

"나를 보렴. 나는 지금 고치를 만들고 있단다.

내가 마치 숨어 버리는 듯이 보이지만,
고치는 결코 도피처가 아니야.

고치는 변화가 일어나는 동안
잠시 들어가 머무는 집이란다.

고치는 중요한 단계란다. 일단 고치 속에
들어가면 다시는 애벌레 생활로
돌아갈 수 없으니까.

변화가 일어나는 동안, 고치 밖에서는
아무 일도 없는 것처럼 보일지 모르지만,
나비는 이미 만들어지고
있는 것이란다.

다만 시간이 걸릴 뿐이야!"

"그것만이 아니란다!

일단 나비가 되면, 너는 '진정한 사랑'을
할 수 있어. 새로운 생명을 만드는 사랑을 말이다.
그런 사랑은, 서로 껴안는 게 고작인
애벌레들의 사랑보다 훨씬 좋은 것이란다."

"아아, 저는 어서 가서 호랑 애벌레를 데려와야겠어요."
그러나 노랑 애벌레는 호랑 애벌레가 애벌레 더미
속으로 너무 깊이 들어가 있어 도저히
찾을 수 없다는 것을 알고 슬펐습니다.

늙은 애벌레가 말했습니다.
"슬퍼하지 말아라.
네가 나비가 되면, 날아가서 나비가
얼마나 아름다운지 호랑 애벌레에게
보여 줄 수 있어. 그러면 호랑 애벌레도
나비가 되고 싶어할 거야."

노랑 애벌레는 가슴이 찢어질 것처럼 아팠습니다.

"호랑 애벌레가 돌아왔다가 내가 없는 것을 알면 어떡하지?
나의 새로운 모습을 알아보지 못하면 어떡하지?
호랑 애벌레가 계속 애벌레로 남겠다면 어떡하지?
애벌레 상태로 있으면 적어도 '무엇인가'를 할 수는 있어.
기어다닐 수도 있고 먹을 수도 있어. 어떤 식으로든
사랑도 할 수 있어. 하지만 고치가 되면 어떻게 서로 결합하지?
고치 속에 틀어박히는 건 생각만 해도 끔찍해!"

날개를 가진 멋진 존재로
변할 수 있다는 확신도 없는데,
하나뿐인 목숨을 어떻게
위험에 빠뜨릴 수 있단 말인가?

노랑 애벌레는 앞으로 무엇을 해야 하는가?
고치를 만들 만큼 확신에 차 있는
늙은 애벌레를 보면서.
애벌레 기둥을 노랑 애벌레의 마음에서 몰아 냈던,
그리고 나비에 관한 이야기를 들었을 때
가슴을 뛰게 했던 그 야릇한 희망을 간직한 채.

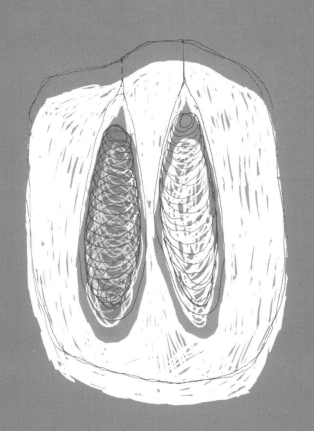

늙은 애벌레는 비단실로
계속 몸을 감았습니다.
늙은 애벌레는 마지막 남은 실로
머리를 감싸며 외쳤습니다.

**"너는 아름다운 나비가 될 수 있어.
우리는 모두 너를 기다리고 있을 거야!"**

노랑 애벌레도 나비가 되기 위한 모험에 나서기로 결심했습니다.

노랑 애벌레는 용기를 얻으려고 늙은 애벌레의 고치
바로 옆에 매달린 채, 실을 뽑아 내어 고치를 만들기
시작했습니다.

"어머나, 나도 이런 일을 할 수 있다니!
이건 내가 제대로 하고 있다는 증거야.
용기도 생기는걸. 내 속에 고치의 재료가
들어 있다면, 나비의 재료도 틀림없이
들어 있을 거야."

제 5 장

호랑 애벌레는 이제 전보다 훨씬 빠른 속도로
올라갔습니다. 풀밭에서 잘 먹고 충분히 쉬었기 때문에,
몸집도 커졌고 힘도 세졌습니다. 처음부터
호랑 애벌레는 꼭대기까지 올라가기로 단단히
결심하고 있었습니다.

호랑 애벌레는 다른 벌레들과 눈이 마주치지 않도록
각별히 조심했습니다. 그런 인연이 얼마나 비참한 결과를
가져올 수 있는지 잘 알고 있었기 때문입니다.

호랑 애벌레는 노랑 애벌레를 잊으려고
무척 애썼습니다.

감상적인 생각이나 심란한 기분이 들지 않게
마음을 굳게 다잡았습니다.

그러나 다른 애벌레들이 보기에, 호랑 애벌레는
단순히 '마음을 굳게 다잡은' 정도가 아니라 무자비할
정도였습니다. 기어오르고 있는 애벌레들 속에서,
호랑 애벌레는 특별한 존재였습니다.
호랑 애벌레는 다른 애벌레들과 적대 관계에 있다고
생각하지 않았습니다. 꼭대기에 도달하기 위해서
할 일을 하고 있을 뿐이었지요.

만일 다른 애벌레가 불평을 했다면,
호랑 애벌레는 아마 이렇게
말했을 것입니다.

"네가 성공하지 못하더라도
나를 원망하진 마!
삶이란 원래 험난한 거야.
마음을 독하게 먹지 않으면
살아갈 수 없어."

그러던 어느 날,
호랑 애벌레는 목적지
가까이에 이르렀습니다.

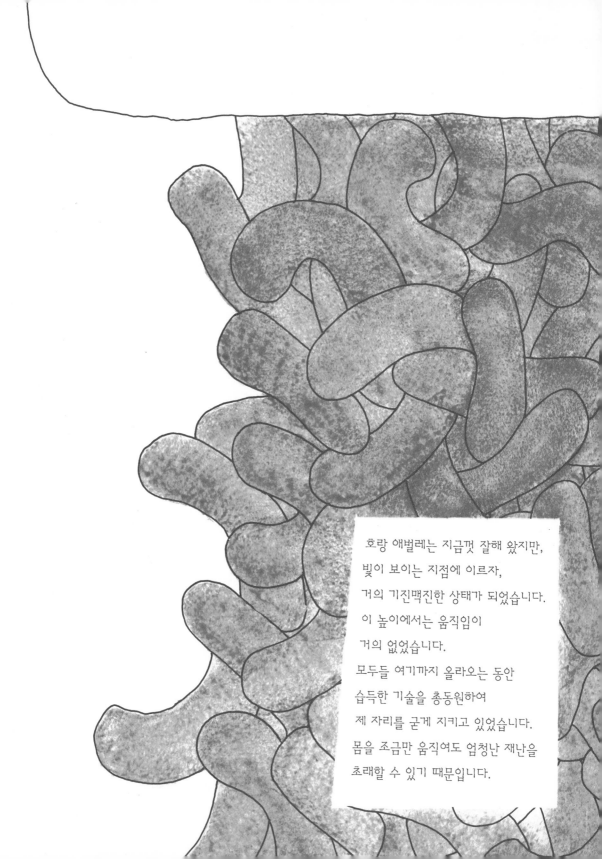

호랑 애벌레는 지금껏 잘해 왔지만,
빛이 보이는 지점에 이르자,
거의 기진맥진한 상태가 되었습니다.
이 높이에서는 움직임이
거의 없었습니다.
모두들 여기까지 올라오는 동안
습득한 기술을 총동원하여
제 자리를 굳게 지키고 있었습니다.
몸을 조금만 움직여도 엄청난 재난을
초래할 수 있기 때문입니다.

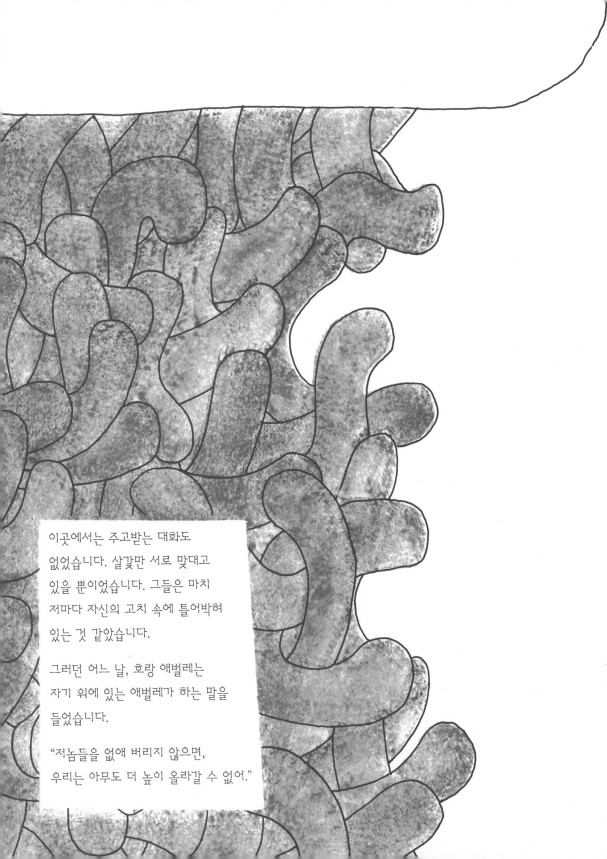

이곳에서는 주고받는 대화도
없었습니다. 살갗만 서로 맞대고
있을 뿐이었습니다. 그들은 마치
저마다 자신의 고치 속에 틀어박혀
있는 것 같았습니다.

그러던 어느 날, 호랑 애벌레는
자기 위에 있는 애벌레가 하는 말을
들었습니다.

"저놈들을 없애 버리지 않으면,
우리는 아무도 더 높이 올라갈 수 없어."

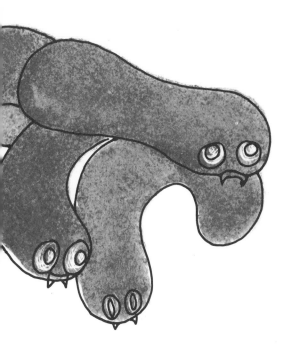

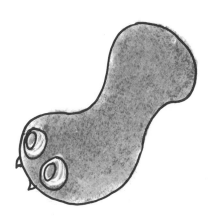

이 말이 끝나자마자, 호랑 애벌레는
엄청난 압력과 진동을 느꼈습니다.
이어서 비명 소리가 들리고,
애벌레들의 몸뚱이가 우수수 떨어졌습니다.
이윽고 사방이 조용해졌습니다.
위에서 비치는 햇빛은 더욱 밝아졌고,
호랑 애벌레를 짓누르던 무게가
한결 가벼워졌습니다.

호랑 애벌레는 새로운 사실에 비참한 기분을 느꼈습니다.
기둥의 수수께끼가 풀리고 있었습니다.

언젠가 세 마리의 애벌레에게 일어났던 일이
무엇인지, 호랑 애벌레는 이제 알게 되었습니다.

기둥에서 이제까지 줄곧 무슨 일이 일어나고
있었는지를 지금 깨달은 것입니다.

심한 좌절감이 파도처럼 밀려왔습니다. 하지만 '위로'
올라가는 길은 이것밖에 없다고, 호랑 애벌레는
그렇게 생각하고 있었습니다. 바로 그때,
꼭대기에서 조그맣게 속삭이는 소리가 들렸습니다.
        "이곳에는 아무것도 없잖아!"
        그러자 또 다른 목소리가 대꾸했습니다.
        "조용히 해, 이 바보야! 밑에 있는 놈들이 다 듣겠어.
        우린 지금 저들이 올라오고 싶어하는 곳에
        와 있단 말야. 여기가 바로 거기야!"
호랑 애벌레는 몸이 오싹해지는 것을 느꼈습니다.
그렇게 높은 곳에 있는데도, 이곳은 전혀 고귀한 자리가
아니었습니다. 밑바닥에서 볼 때만 대단해 보였던
것입니다.

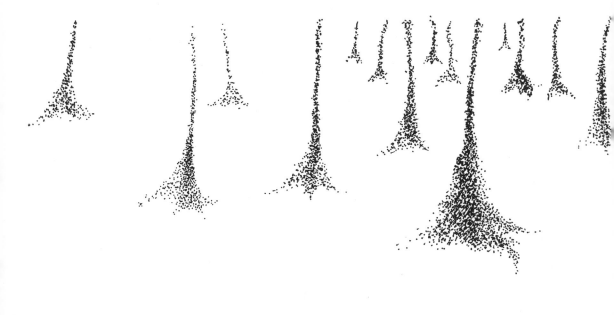

또다시 위에서 속삭이는 소리가 들렸습니다.

"저기 좀 봐. 기둥이 또 있어. 그리고 저기도…….
사방이 온통 기둥이야!"

이제 호랑 애벌레는 실망만이 아니라 분노마저 느꼈습니다.

호랑 애벌레는 한탄을 했습니다.

"그토록 고생해서 올라온 기둥이 수천 개의 기둥들

가운데 하나일 뿐이라니!

수백만 애벌레가 꼭대기까지 올라오느라 헛고생을 하고 있어!

뭔가 잘못된 게 분명해. 하지만…… 다른 무엇이 있지 않을까?"

노랑 애벌레와 함께 지낸 날들이 까마득한 옛날처럼 여겨졌습니다.
아니, 꼭 그런 것만은 아니었습니다.

노랑 애벌레의 모습이 호랑 애벌레의 마음을 가득 채웠습니다.
"노랑 애벌레야!   넌 무엇인가 알고 있었어. 그렇지?
기다리는 용기가 그거였니? 어쩌면 네가 옳았는지도 몰라.
아아, 노랑 애벌레와 함께 있다면 얼마나 좋을까.
그래, 다시 내려갈 수 있을 거야. 내 꼴이 우습게 보이겠지만,
여기서 벌어지고 있는 일보다는 그게 나을지도 몰라."

그러나 옆에 있는 애벌레들이 갑자기 꿈틀거리는 바람에
호랑 애벌레는 마냥 생각만 하고 있을 수는 없었습니다.
그들은 저마다 꼭대기로 올라가는 길을 찾기 위해
마지막 안간힘을 쓰고 있는 것 같았습니다. 하지만 밑에서
밀 때마다 꼭대기 층은 더욱 단단해졌습니다.

마침내 애벌레 하나가 가쁜 숨을 몰아쉬며 말했습니다.
"우리 모두 힘을 합치지 않으면, 아무도 꼭대기에 도달할 수
없을 거야. 자, 우리 모두 힘을 모아 한꺼번에 힘껏 밀어 보자!
위에 있는 놈들이 우리를 언제까지나 억누를 수는 없어!"

하지만 그들이 미처 행동에 나서기도 전에
함성과 함께 또 다른 술렁임이 일어났습니다.
호랑 애벌레는 무슨 일일까 하고,
가장자리로 헤집고 나갔습니다.

눈부신 노랑 날개를 가진 생명체 하나가
자유롭게 움직이며 기둥 주위를
맴돌고 있었습니다.
정말 멋진 광경이었습니다!
힘들게 기어오르지 않고도
어떻게 이렇게 높이까지 올 수 있을까?

호랑 애벌레가 머리를 내민 순간,
그 날개 달린 생명체는 호랑 애벌레를
알기라도 하는 것처럼, 두 다리를 한껏 뻗어서
호랑 애벌레를 움켜잡으려고 했습니다.

호랑 애벌레는 애벌레 더미에서
끌려나가기 직전에 몸을 움츠렸습니다.
그러자 그 멋진 생명체는 호랑 애벌레를
놓아주고, 슬픈 듯이 호랑 애벌레의
두 눈을 바라보았습니다.

그 눈길을 보고, 호랑 애벌레는
기둥을 처음 본 뒤로 이제까지 한 번도
느끼지 못했던 흥분을 다시금 느꼈습니다.
오래 전에 들었던 말이 기억났습니다.
"……나비들만이……."

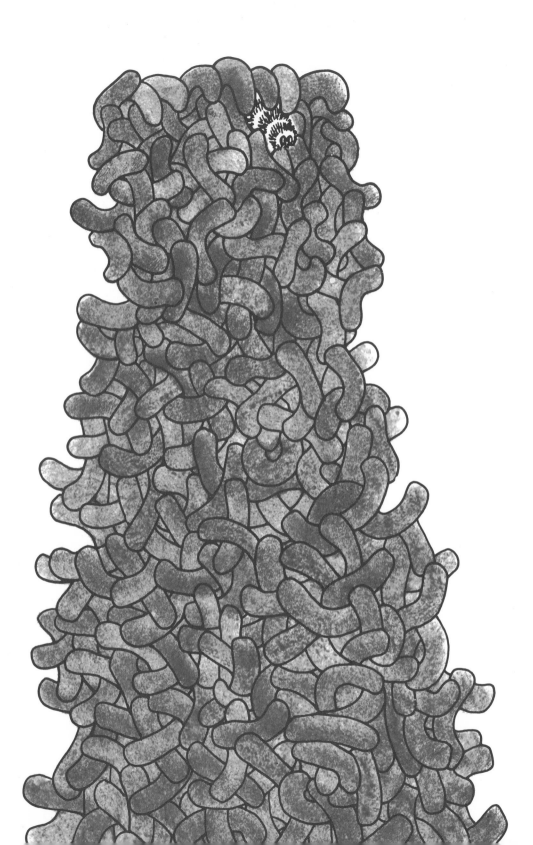

"저게 나비일까?"

그러면 나머지 말은 무슨 뜻일까.
"저 꼭대기⋯⋯ 나중에 알게 될 거야⋯⋯."

모든 게 너무나 이상했지만,
뭔가 알 것 같기도 했습니다.

그리고 노랑 애벌레의 눈빛과
비슷한 눈빛.
혹시?

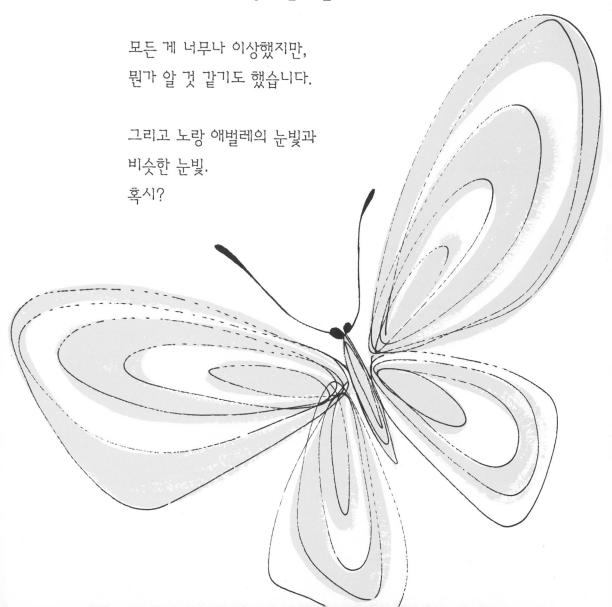

아니야, 그럴 리가 없어!
하지만 마음 속에서는 흥분이 좀처럼
가라앉지 않았습니다.

호랑 애벌레의 기쁨은 점점 커졌습니다.

어쩌면 여기서 벗어날 수 있을지 몰라.
나비가 나를 데려다 줄지 몰라.

하지만 이런 일이 정말로 일어날 수도 있다는
생각이 들자, 한편으로는 또 다른 생각이
싹텄습니다. 이런 식으로 달아나서는
안 된다는 생각이었습니다.

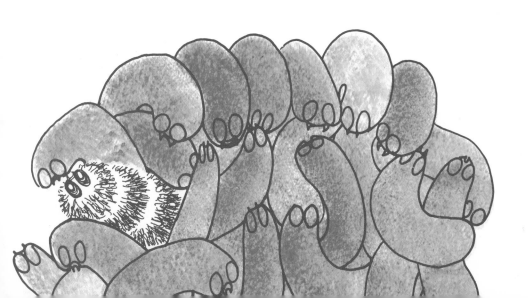

그 멋진 나비와 눈길이 마주쳤을 때,
호랑 애벌레는 그 눈에 담긴 사랑을 보면서
견딜 수가 없었습니다. 그런 사랑을 받을
자격이 없다고 생각했던 것입니다.

호랑 애벌레는 변하고 싶었습니다.
남에게 눈길 한번 주지 않았던
과거를 보상하고 싶었습니다.

호랑 애벌레는 자신의 감정을
노랑 나비에게 알리려고 애썼습니다.

이제는 몸부림치는 것도 멈추었습니다.

그런 호랑 애벌레를 다른 애벌레들은
마치 미치광이라도 보듯 바라보고 있었습니다.

제6장

호랑 애벌레는 방향을 바꿔서 기둥을 내려가기
시작했습니다. 이번에는 몸을 웅크리지 않았습니다.
온몸을 쭉 펴고, 모든 애벌레의 눈을
똑바로 쳐다보았습니다.

호랑 애벌레는 그 눈들이 다양하고 아름다워
감탄했고, 옛날에는 그것을 알아보지 못한 것이
그저 놀라울 뿐이었습니다.

호랑 애벌레는 마주치는 애벌레마다
속삭였습니다.
"내가 꼭대기에 올라가 봤는데,
거기에는 아무것도 없어."

그들은 올라가는 데에만 정신이 팔려 있어서,
호랑 애벌레의 말에는 귀를 기울이지 않았습니다.

한 애벌레는 이렇게 말했습니다.
"괜히 심술을 부리고 있는 거야.
꼭대기에는 가 보지도 못했으면서."

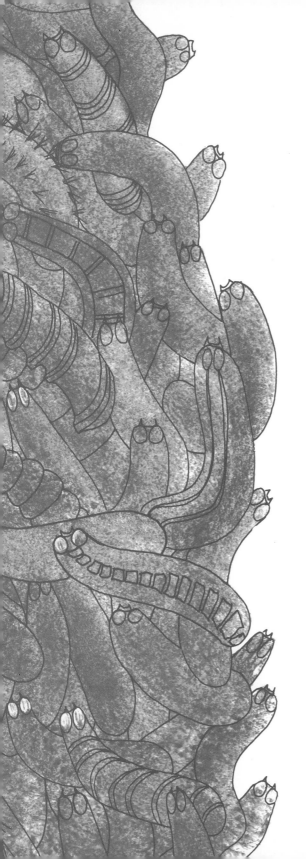

그러나 호랑 애벌레의 말에 충격을
받고는, 좀더 많은 이야기를
들으려고 걸음을 멈추는
애벌레들도 있었습니다.

그런 애벌레들 가운데 하나가
힘겨운 목소리로 속삭였습니다.
"설령 그게 사실이라도,
그런 말은 하지 마.
우리가 달리 무엇을 할 수 있겠어?"

호랑 애벌레가 대답했습니다.
"우리는 날 수 있어!
우리는 나비가 될 수 있어!
꼭대기에는 아무것도 없어.
하지만 그건 중요하지 않아!"

호랑 애벌레의 대답은 모두에게
충격이었습니다.
호랑 애벌레 자신도 깜짝 놀랐습니다.

호랑 애벌레는 새삼 깨달았습니다.
높이 오르려는 본능을
그 동안 얼마나 잘못 생각했는지.
'꼭대기'에 오르려면
기어오르는 게 아니라 날아야 하는 것이었습니다.

호랑 애벌레는 애벌레마다
내부에 나비가 한 마리씩
들어 있으리라는 기쁨에 들떠,
그들을 하나씩 찬찬히 바라보았습니다.

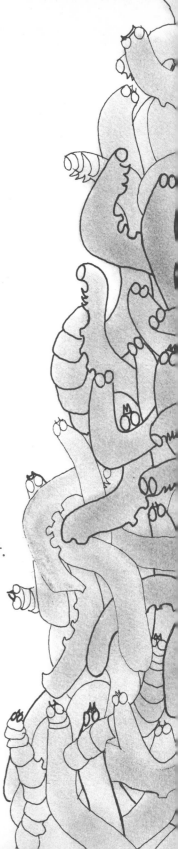

하지만 그들의 반응은 아까보다 더 좋지 않았습니다.
호랑 애벌레는 그들의 눈동자에 어린 두려움을
보았습니다. 그들은 호랑 애벌레에게
귀를 기울이지도 않았고,
말을 걸지도 않았습니다.

이 기쁘고 멋진 소식은 그들이
감당하기에는 너무 벅찬 것이었고,
사실로 받아들이기가 쉽지 않은 것이었습니다.

그런데 그게 사실이 아니라면?

기둥을 환히 밝혀 주었던
희망의 빛은 사라지고,
모든 것이 혼란스럽고
비현실적으로 보였습니다.

내려가는 길은
끝없이 멀게만 느껴졌습니다.

나비에 대한 환상도
희미해졌습니다.

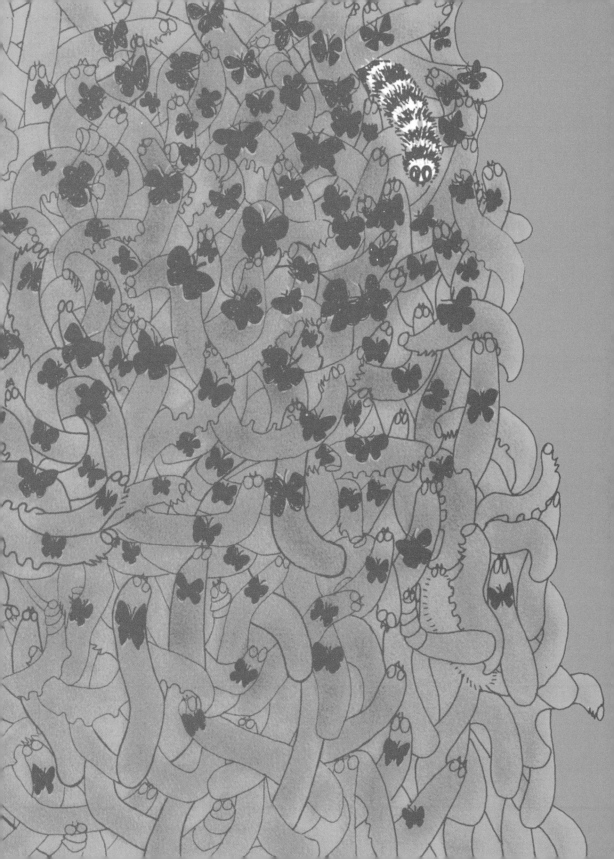

의심의 물결이 홍수처럼 밀려왔습니다.
애벌레 기둥이 어마어마하게 느껴졌습니다.

호랑 애벌레는 꿈틀거리며 간신히
나아갔습니다. 맹목적으로.
믿음을 버리는 것은 옳은 일이 아니지만,
믿음을 갖는 것도 불가능해 보였습니다.

애벌레 한 마리가 빈정거렸습니다.
"그런 이야기를 곧이듣다니, 너도 참 웃기는 애구나.
우리의 삶은 기어다니다가 기어오르는 거야.
우리 모습을 봐! 어느 구석에 나비가 들어 있겠어.
이런 몸뚱이나마 최대한 이용해서, 애벌레의 삶이나
열심히 즐기라고!"

호랑 애벌레는 한숨을 내쉬면서 생각했습니다.
"그애가 옳을지도 몰라. 나한테 무슨 증거가
있는 것도 아니잖아. 나비가 되고 싶은 마음이
너무 간절한 나머지 그 환상을 꾸며 낸 것일 뿐일까?"

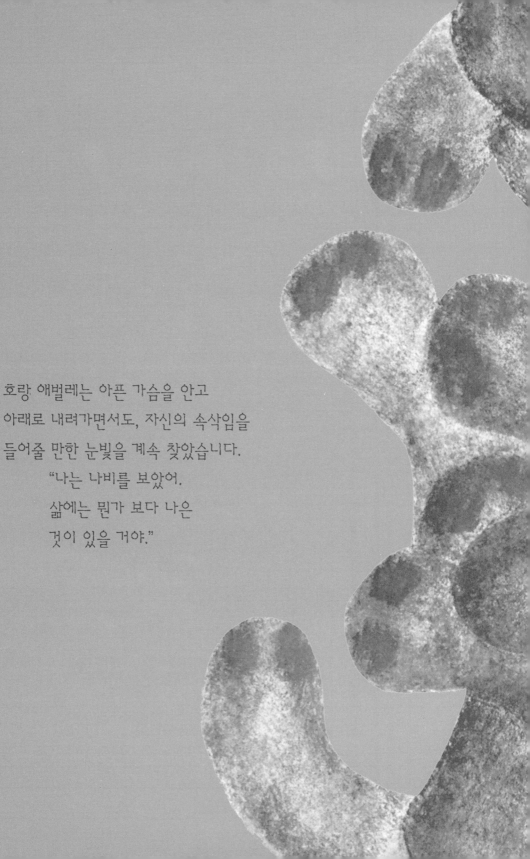

호랑 애벌레는 아픈 가슴을 안고
아래로 내려가면서도, 자신의 속삭임을
들어줄 만한 눈빛을 계속 찾았습니다.
　"나는 나비를 보았어.
　삶에는 뭔가 보다 나은
　것이 있을 거야."

어느 날……
　마침내……
호랑 애벌레는
　땅으로 내려왔습니다.

제 7 장

호랑 애벌레는 지친 몸과
슬픈 마음으로,
노랑 애벌레와 함께 뒹굴며 놀던
정든 곳을 찾아갔습니다.

노랑 애벌레는 거기에 없었습니다.
하지만 호랑 애벌레는 너무나 지친 나머지
더 이상 기어갈 힘도 없었습니다.

호랑 애벌레는 몸을 웅크린 채 잠이 들었습니다.

이윽고 잠에서 깨어나 보니,
그 노랑 나비가 눈부신 날개로
호랑 애벌레에게 부채질을
해 주고 있었습니다.

호랑 애벌레는 어리둥절한 가운데
생각했습니다.
"이건 꿈일 거야."

그러나 그 꿈 속의 존재는 현실처럼
움직이고 있었습니다. 노랑 나비는 더듬이로
호랑 애벌레를 어루만졌고, 무엇보다도
그윽한 사랑의 눈길로 호랑 애벌레를
바라보았습니다. 그래서 호랑 애벌레는
나비가 될 수 있다는 이야기가 어쩌면
사실인지도 모른다고 생각하기 시작했습니다.

노랑 나비는 조금 떨어진 곳으로
걸어서 갔다가, 날아서 돌아왔습니다.
자기를 따라오라는 듯이,
그러기를 몇 번이고 되풀이했습니다.

그래서 호랑 애벌레는
노랑 나비를 따라갔습니다.

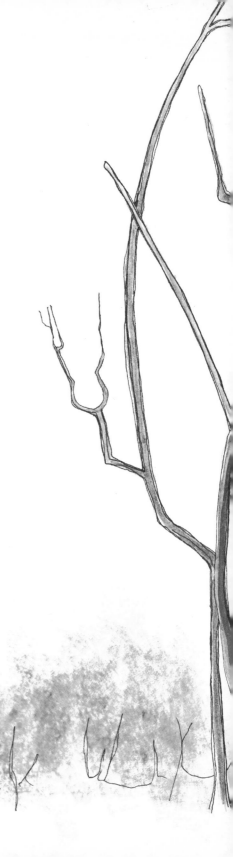

어느덧 그들은 나뭇가지에
이르렀습니다. 그 가지에는
찢어진 자루 두 개가
매달려 있었습니다.

노랑 나비는 그 중 하나에다,
머리와 꼬리를 차례로 집어넣는
시늉을 되풀이했습니다.

그러고는 다시 날아와 호랑 애벌레를
어루만져 주곤 했습니다.

노랑 나비의 더듬이가 가늘게
떨렸습니다. 호랑 애벌레는
노랑 나비가 말을 하고 있다는 것을
알았습니다.

하지만 무슨 말을 하는지
알아들을 수가 없었습니다.

그러다가 조금씩 이해할 것 같았습니다……

호랑 애벌레는 무엇을 해야 할지를
점점 깨닫게 되었습니다.

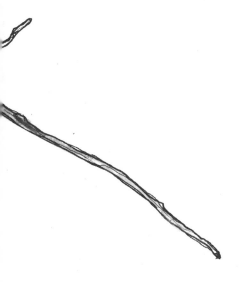

호랑 애벌레는 기어 올라갔습니다. 또다시.

날이 점점 어두워지자 호랑 애벌레는
덜컥 겁이 났습니다.

모든 것을 포기해야 한다는
생각이 들었습니다······.

노랑 나비는 기다리고 있었습니다……

그러던 어느 날……

끝...

아니, 새로운 시작 …….

감사의 말

세상이 꽃으로 가득 차려면 수많은 나비가 필요합니다.

한 권의 책을 만들려면 많은 사람이 필요합니다.

어떤 사람이 화가에게 물었습니다.

그림 한 점 그리는 데에 시간이 얼마나 걸리느냐고.

그러자 화가는 이렇게 대답했습니다.

"5분이 걸릴 수도 있고, 평생이 걸릴 수도 있습니다."

이 책도 마찬가지입니다.

이 책이 나오는 데 도움을 주신 분들, 그리고 이 책을 쓸 수 있도록 내 '평생'에 영향을 주신 모든 분들께 진심으로 감사를 드립니다.

《꽃들에게 희망을》의 한국어판이 새 천 년을 앞두고 출판되는 것이 나에게는 크나큰 영광입니다!

한 권의 책을 만드는 데에는 아직도 많은 분들의 노력이 필요합니다. 이 책을 처음 영어로 쓴 1972년에도 그랬지만, 오늘날에도 마찬가지인 것 같습니다. 나는 이 책을 "내가 알고 있는 모든 분들, 그리고 내가 아직은 모르지만 나와 더불어 평화롭고 정의로운 세상에서 '더 나은' 삶을 추구하는 수많은 분들을 위해" 썼습니다.

변화에 맞서고, 흔히 불행하기 쉬운 혁명을 이해하기 위해 애쓰는 위대한 한국인들에게 감사를 드립니다. 부디 이 책이 여러분에게 또 다른 혁명——애벌레 하나도 죽이지 않는 혁명——에 대한 희망을 줄 수 있었으면 합니다. 애벌레를 죽이면 아름다운 나비는 세상에 한 마리도 존재하지 않으리라는 것을 우리는 알고 있기 때문입니다.

1972년에 출판된 책에서 언급한 모든 분들께 다시 한 번 감사를 드립니다. 그분들은 대다수 아직 우리 곁에서 보다 아름다운 세상을 만들기 위해 애쓰고 있지만, 죽음이라는 중요하고 궁극적인 번데기 단계를 지나 소망과 믿음과 사랑 속에서만 접할 수 있는 신비 속으로 떠나 버린 분들도 있습니다. 그 모든 분들이 이 책을 이루고 있는 삶을 만들었습니다.

미국의 폴리스트 출판사에서 일하고 있는 앤젤라 에크로스와 돈 브로피에게 감사를 드립니다. 특히 한국인의 관점에서 나에게 도움을 준 박원준에게 깊은 감사를 드립니다. 그리고 한국어로 번역된 원고를 열심히 읽어 준 신은희에게도 감사를 드립니다.

시공사의 헌신적인 여러분들에게 감사를 드립니다. 특히 번역자는 미묘한 표현을 정확하고 간결한 한국어로 옮기기 위해 애써 주셨습니다. 신원 에이전시 및 시공사 발행인에게도 감사를 드립니다. 또한 이 책을 위해 뒤에서 묵묵히 애써 주신 이름 없는 모든 분들과 독자 여러분에게 영광을 돌리고 싶습니다. 하나의 책을 '노래' 부르게 하기 위해서, 이 세상의 모든 사람들과 '꽃들'에게 희망의 메시지를 전하기 위해서는 우리 모두가 필요합니다.

우리 모두 가장 중요한 것에 시간을 씁시다. 사랑하고 창조하는 것은 가장 간단하고 손쉬운 일입니다. 돈 한푼 들지 않을 뿐 아니라, 베풀수록 늘어납니다. 삶에서 가장 중요한 것은 삶 자체입니다. "그러므로 삶을 선택합시다!"

희망을 품고

Trina

옮긴이의 말

이 책은 두 마리의 애벌레가 겪는 사랑과 희망의 모험을 이야기하고 있습니다.
호랑 애벌레와 노랑 애벌레— 이들은 '단순히 먹고 자라는 것 이상의 무엇'을
원합니다. 그들은 수많은 애벌레들이 꿈틀거리고 있는 '애벌레 기둥'에
휩쓸려 듭니다. 꼭대기는 너무 높아서 보이지도 않습니다. 그런데도
애벌레들은 서로 먼저 꼭대기에 이르려고 기를 씁니다. 이곳에는 다툼과
미움이 있을 뿐입니다. 남을 밟고 올라가느냐, 아니면 남에게 짓밟히느냐.
이런 현실에 환멸을 느끼고 미망에서 깨어난 호랑 애벌레와 노랑 애벌레는
마침내 깨닫게 됩니다. 자신의 참모습은 무엇이며, 그것을 발견하는 길은
어디에 있는가. 나비가 되는 것이야말로 진정한 자아에 이르는 길이며, 나비가
되기 위해서는 죽을 위험을 무릅쓰고 단단한 고치 속에 들어가야 합니다.
삶은 때때로 죽음보다 더 고통스러울 수 있습니다. 그러나 그 고통스러운
상태를 지나지 않고는 좀더 아름답고 새로운 삶으로 나아갈 수 없습니다.
우리에게 그런 삶으로 나아가게 만드는 힘은 무엇일까요. 사랑과 희망입니다.
사랑과 희망이 없으면 우리는 현재의 삶을 변화시킬 수 없습니다. 하찮은
애벌레들도 새로운 삶을 찾아 냈는데, 만물의 영장인 우리가 못할 이유는
없습니다. 이 책은 그 용기를 우리에게 주고 있는 것입니다.

김석희